まちごとチャイナ
上海001

はじめての上海
中国へのゲートウェイ
［モノクロノートブック版］

JN121902

長江へ注ぐ黄浦江が大きく弧を描くほとりに開けた中国最大の都市上海。黄浦江の西岸には外灘（バンド）と呼ばれる西欧風の石づくりの建物がならび、対岸の浦東地区には東方明珠電視塔や上海環球金融中心といった超高層建築が摩天楼をつくりだしている。

　古い歴史をもつ中国にあって、19世紀になるまで長いあいだ上海には小さな県城と漁村がたたずむに過ぎなかった。アヘン戦争に敗れた清朝は、1842年の南京条約で上海を開港し、イギリスをはじめとする西欧列強が中国進出の

足がかりとしたことで街は急速に発展した（たった150年ほどのあいだで、中国でもっとも先進的な気風をもつ街へと成長した）。

　また20世紀後半になって改革開放が唱えられ、上海に金融センターがおかれると、それまで湿地帯が広がっていた東岸の浦東に次々と高層建築が建てられるようになった。急成長を続ける中国にあって、上海は投資、観光、流行などの各分野で注目が注がれる経済、文化の中心地となっている。

Asia City Guide Production
Shanghai 001

Shanghai

上海／shàng hǎi／シャンハイ

「アジア城市（まち）案内」制作委員会
まちごとパブリッシング

| まちごとチャイナ | 上海 001 |

はじめての
上海

中国へのゲートウェイ

Contents

長江デルタと上海

N

江蘇省
南通
長江
常州
無錫
崇明島
崑山
嘉定
宝山
蘇州
虹橋空港
上海市街
上海浦東国際空港
太湖
黄浦江
松江
洋山保税港区
湖州
洋山深水港
嘉興
金山
杭州湾
杭州湾跨海大橋
杭州
浙江省
普陀山
舟山
紹興
寧波

0km
200km

虹橋広域図

はじめての上海／中国へのゲートウェイ

★★★
東方明珠塔／东方明珠塔 ドンファンミンチュウタア
外灘／外滩 ワイタン
南京東路／南京东路 ナンジンドンルウ
豫園／豫园 ユウゥユゥエン

★★☆
中華芸術宮／中华艺术宫 チョンファアイイシュウゴン
新天地／新天地 シンティエンディイ
田子坊／田子坊 ティエンツウファン

★☆☆
黄浦江／黄浦江 ファンブウジィアン
南京西路／南京西路 ナンジンシイルウ
龍華寺／龙华寺 ロンフゥアスー
虹口／虹口 ホンコウ
魯迅公園／鲁迅公园 ルウシュンゴンユゥエン

Introduction
中国屈指のメガシティ

19世紀まで小さな県城があった上海の地
長江流域へ続く地の利に目をつけた西欧によって
瞬く間に中国を代表する都市へと成長した

「上海から」はじまる

　1842年に開港し、イギリスの居留地がおかれた上海で
は、電気や街灯といった西欧の文明、思想、文化などが中国
で最初に流入することになった(それまでの中国は事実上鎖国体
制にあった)。イギリス、フランス、アメリカなど西欧諸国の影
響のもと、上海は進取の気質をもつ国際都市として発展し、
1920年代にはニューヨークやロンドンにもくらべられる都
市となっていた。こうしたところから上海人は、外国商品や
外資のものをいち早く受け入れる柔軟性をもち、「上海で成
功したもの」が中国全土に広がるという。そのため、新たな
商品や情報、新たなファッションなどは上海から発信され
ている。

上海の構成

　長江河口地帯で合流する黄浦江からさかのぼった位置に
ある上海(テムズ川をさかのぼった位置のロンドンにくらべられる)。
上海は、黄浦江の水利を使った港町として発展をはじめ、長
いあいだ街の中心だった浦西(外灘側)では、今も19世紀以来
の街区を残している。一方、21世紀に向けて開発されたのが
対岸の浦東で、超高層ビルが林立するほか、浦東国際空港、

空港と市街部を結ぶリニアモーターカーなども見られる。街を東西に結ぶ地下鉄2号線をはじめ、網目のように地下鉄が走り、市街は郊外へ拡大し続けている。

なぜ上海が発展したの

上海は、北京、天津、重慶とならぶ中国四大直轄地のひとつで、とくに「政治・外交都市」北京に対して、「経済・金融都市」の性格をもつ。上海は中国沿岸部の長い海岸線のちょうど中央部にあたり、また長江を通じて世界有数の人口密集地帯に続く地に位置する（イギリスは1845年に租界を構える以前から、この地の将来性を見抜いていたという）。そのため中国沿岸部を「弓」に、長江を「矢」にたとえ、上海はそれが放たれる中国経済の心臓部にあげられる。

上海料理とは

麦食中心の北京や西安に対して、上海では「魚米の里」と言われる肥沃な江南の地で育まれた米や魚介類が食されている。19世紀以降、発展した上海では、蘇州や南京、杭州や寧波など江南各地の料理があわさり、麺料理から粥料理まで幅広い（醤油と砂糖で煮つけた紅焼などが好まれる）。また「蒸蟹（上海蟹の姿蒸し）」「酔蟹（よっぱらい蟹）」など上海近郊でとれた秋の上海蟹（大閘蟹）、豚のひき肉をベースにしたあんを皮でくるんだスープ入りの「小籠包」、それを蒸し焼いた「生煎饅頭」は上海の名物料理として知られる。

繁華街南京東路。はじめての上海では必ず訪れる通り

外灘の和平飯店北楼。かつてサッスーン財閥が本拠を構えていた

上海の街角で見た屋台、中国各地の料理が食べられる

空に伸びる上海環球金融中心、遠くから見ると栓抜き型をしている

Pu Dong

浦東城市案内

「改革開放を加速せよ」という1992年の鄧小平の言葉とともに
ほとんど何もなかった地にわずか10年で摩天楼が出現した
未来都市を思わせる上海浦東

東方明珠塔／东方明珠塔★★★
dōng fāng míng zhū tǎ
とうほうめいじゅとう／ドンファンミンチュウタア

　上海のランドマークとなっている高さ468mの東方明珠
塔。銀とピンクの球体が空中に浮かび、球体ごとに展望台が
もうけられている。テレビ塔の役割をもつほか、上海城市
歴史発展陳列館が併設されている。1994年に完成し、黄浦
江をはさんで対岸の外灘からも美しい姿を見ることができ
る。

上海環球金融中心／上海環球金融中心★★★
shàng hǎi huán qiú jīn róng zhōng xīn
しゃんはいかんきゅうきんゆうちゅうしん／シャンハイファンチィウジンロンチョンシン

　オフィス、ホテル、レジャー施設からなり、縦型都市が意
識された上海環球金融中心。高さ492m、地上101階で、頂部
に展望台スカイウォーク100が位置する。この展望台から
は浦東に立つ高層建築、対岸の外灘、黄浦江に合流する蘇州
河、その北側の虹口など上海市街を遠望できる。日本の森ビ
ルによって2008年に建てられた。

浦東(陸家嘴)

国際
客運中心

地鉄12号線

虹口

国際
客運中心

銀
城
中
路
中

上海国際
会議中心

東方
明珠塔

外灘観光トンネル

陸家嘴

陸家嘴
中心緑地

和平
飯店

濱江大道

世紀大道

地鉄2号線

外灘

延安東路隧道

正大
広場

陸家嘴環路

金茂大厦

上海環球
金融中心

東昌路

上海中心
大厦

黄浦江

地鉄9号線

豫園

上海旧城

N

0km   1km

陝西南路

地鉄1号線

地鉄10号線

新天地

上海旧城

小南門

N

地鉄12号線

馬当路

陸家浜路

南浦大橋

打浦橋

地鉄13号線

地鉄8号線

魯班路

嘉善路

地鉄9号線

地鉄4号線

西蔵南路

魯班路

西蔵南路隧道

大木橋路

盧浦大橋

黄浦江

月亮船

東安路

世博大道

中華芸術宮

中華芸術宮

龍華中路

中華芸術宮

雲台路

雪野路

地鉄7号線

雪野二路

長清路

耀華路

後灘

上南路

龍華寺

成山路

龍華

上海民族民俗民間工芸博物館

雲錦路

地鉄11号線

西岸芸術中心

龍耀路

楊思

0km

3km

上南地区

世界有数の摩天楼

　銀行、保険、証券、投資会社などが集まる浦東陸家嘴は中国を代表する金融センターとなっている。東方明珠塔(高さ468m)のほか、金茂大厦(高さ420m)、上海環球金融中心(高さ492m)がそびえ、2014年竣工の上海中心大厦(高さ632m)の完成で、1990年にはじまった陸家嘴の開発が新たな段階に達することになった。この陸家嘴では超高層ビルが林立する一方、緑地がしっかりと確保された計画都市となっている。

中華芸術宮／中华艺术宫★★☆
zhōng huá yì shù gōng
ちゅうかげいじゅつきゅう／チョンファアイイシュウゴン

　中華芸術宮は、2010年開催の上海万博中国館が再利用された美術館。古代の「東洋の冠」を意識した逆ピラミッド型の外観は中国赤で彩られている(高さ69m)。この美術館では『清明上河図』『群仙祝寿図』などの中国を代表する絵画、青銅器、彫刻を収蔵する。また周囲には上海世博展覧館、世博中心、梅賽徳斯-奔馳文化中心など、万博で使われた大型施設が位置する。

★★★
東方明珠塔／东方明珠塔 ドンファンミンチュウタア
上海環球金融中心／上海环球金融中心 シャンハイファンチィウジンロンチョンシン
外灘／外滩 ワイタン
豫園／豫园 ユウゥユュエン
★★☆
中華芸術宮／中华艺术宫 チョンファアイイシュウゴン
新天地／新天地 シンティエンディイ
★☆☆
黄浦江／黄浦江 ファンプウジィアン
虹口／虹口 ホンコウ

上海のランドマークとなっている東方明珠塔

上海環球金融中心の展望台、エレベーターで一気にのぼる

速度をあげていく上海リニア、時速を写真におさめる人も見える

上海磁浮交通／上海磁浮交通 ★★☆

shàng hǎi cí fú jiāo tōng

しゃんはいじふうこうつう／シャンハイツーフウジャオトン

　世界ではじめて実用化されたリニアモーターカーとして知られる上海磁浮交通。中国とドイツの共同出資で2002年に完成し、上海浦東国際空港と上海市街部(龍陽路)の30kmを8分で結ぶ。最高時速は430キロになる。

万博の顔でもあった中華芸術宮、上南地区の開発も進む

Wai Tan
外灘城市案内

1920~40年代に建てられた
石づくりの欧風建築がずらりとならぶ外灘
オールド上海の魅力を今に伝える街並み

外灘／外滩★★★
wài tān
がいたん／ワイタン

　外灘は黄浦江にそって南北2kmに渡って続くウォーター・フロント。ここは西欧諸国の居留地がおかれたところで、中国官憲の手がおよばなかったことから、「中国のなかの西欧」にたとえられた。イギリスやアメリカの銀行、商社、領事館などがならび、19世紀以来、この外灘を拠点に西欧諸国は中国全土へ進出した。世界各地のイギリス植民都市でも使われた「バンド(築堤)」の呼称でも知られる。

重厚な外灘建築群

　かつて上海の港がおかれたのが外灘で、このウォーター・フロントにならぶ建築には南から1号、2号と番号がつけられている。清朝にも金を貸しつけた「旧香港上海銀行(1923年)」、関税事務を行ない、時計塔をそなえた「上海海関(1927年)」、上海の王とも言われ、サッスーン財閥が本拠を構えた「和平飯店北楼(1929年)」、清朝以来の為替銀行の流れをくむ「中国銀行大厦(1937年)」、東アジアの気候にあわせたベランダ様式をもつ「旧イギリス領事館(1872年)」が知られる。

上海中心部

中興路
四川北路
地鉄10号線
虹口
地鉄12号線
国際客運中心
天潼路
曲阜路
東方明珠塔
南京東路
陸家嘴
新閘路
陸家嘴
外灘
地鉄2号線
南京東路
南京東路
浦東
人民広場
黄浦江
延安東路
人民広場
大世界
豫園
黄陂南路
豫園
准海中路
上海旧城
地鉄8号線
復興東路
地鉄1号線
新天地
老西門
新天地
地鉄9号線
小南門
旧フランス租界
田子坊
馬当路
陸家浜路
南浦大橋
打浦橋
南浦大橋
地鉄4号線

0km   3km   N

黄浦江／黄浦江 ★☆☆

huáng pǔ jiāng

こうほこう／ファンプウジィアン

　上海という地名は「上流の水辺」を意味するなど、黄浦江は上海の発展と深い関わりをもってきた（虹口東の楊樹浦あたりが「下海」と呼ばれていた）。全長114kmの長江の支流で、充分な川幅400mと水深をもつことから、河港がおかれて多くの船が行き交った。黄浦江に面して、租界時代からの伝統をもつ黄浦公園が広がり、対岸の浦東へ続くトンネル外灘観光隧道も位置する。黄浦公園は1868年に整備された当初、「犬と中国人は入るべからず」という看板があったとされる。

魔都上海の姿

　20世紀初頭、「魔都」「東洋のパリ」とたとえられていた上海。当時、南京東路にはダンスホールがいくつもあり、そこでは身体のラインを強調し、袖のないチャイナ・ドレスを着た踊り子が歌う姿があった。1930年代の上海は、アヘンの売買や賭博をあつかうギャング団、革命家（中国共産党は1921年に上海で結成された）、中国進出をもくろむ列強の外交官などさまざまな人の思惑が衝突する街でもあった。

★★★

東方明珠塔／东方明珠塔 ドンファンミンチュウタア

外灘／外滩 ワイタン

南京東路／南京东路 ナンジンドンルウ

豫園／豫园 ユウゥユゥエン

★★☆

新天地／新天地 シンティエンディイ

田子坊／田子坊 ティエンツゥファン

★☆☆

黄浦江／黄浦江 ファンプウジィアン

南京西路／南京西路 ナンジンシイルウ

虹口／虹口 ホンコウ

夜、外灘の建築群はライトアップされる

黄浦江の水利によって上海は発展してきた

夜、ネオンで彩られる街並み

緑屋根の和平飯店北楼は上海最高の場所に立つ

Nan Jing Dong Lu
南京東路城市案内

上海でもっともにぎわいを見せる南京東路
上海黎明期から中国商人が店を構え
今では上海を訪れた誰もが足を運ぶ観光地となっている

南京東路／南京东路★★★
nán jīng dōng lù
なんきんとうろ／ナンジンドンルウ

　南京東路は外灘から上海中心部へ伸び、この街随一の繁
華街と知られてきた。1851年、競馬場(現人民広場)へ続く道と
して整備され、当時、目新しかったデパート、商店、西欧の時
計やカメラをあつかう店も見られた。1999年に南京東路商
業歩行街として整備され、1日じゅうにぎわいが続いている
(かつての南京路が南京東路で、南京西路は静安寺路と呼ばれていた)。

上海博物館／上海博物馆★☆☆
shàng hǎi bó wù guǎn
しゃんはいはくぶつかん／シャンハイボウウグァン

　書画、貨幣、玉器、印章などがテーマごとに展示され、中国
屈指の収蔵品をほこる上海博物館。王羲之の書『上虞帖』や
玉を素材とした『玉神人』が知られ、外観は中国の世界観「天
円地方(天は丸く、地は四角い)」を示している。上海博物館の立
つ人民広場は、イギリスによる競馬場があったところで、周
囲には上海城市規劃展示館などの博物館、蝋人形が見られ
る上海マダム・タッソー蝋人形館も位置する。

南京東路

N
浙江中路
福建中路
南京東路
地鉄8号線
地鉄1号線
地鉄2号線
南京東路
南京東路
九江路
福州路
永安公司
人民広場
0m
500m

南京東路と外灘

天潼路
上海大廈
虹口
地鉄10号線
蘇州河
和平飯店北楼
北京東路
外灘
南京東路
地鉄2号線
南京東路
南京東路
聖三一堂
新世界
永安公司
人民広場
河南中路
福建中路
南京西路
地鉄8号線
地鉄1号線
福州路
広東路
西蔵中路
延安東路
N
人民広場
上海博物館
大世界
大世界
上海旧城
豫園
0km
1km

南京西路／南京西路 ★☆☆

nán jīng xí lù

なんきんせいろ／ナンジンシイルウ

　南京西路は、上海の古刹静安寺へ続く静安寺路をはじまりとし、20世紀末から再開発が進んだ。静安公園などの緑地を確保しながらも、恒隆広場やSOHO東海広場などのビジネス拠点、梅龍鎮伊勢丹や高級ブランド店といった商業施設が集まる通りとなっている。あたりには購買力の高い上海人も多く暮らす。

南京東路城市案内

★★★

南京東路／南京东路 ナンジンドンルウ

外灘／外滩 ワイタン

豫園／豫园 ユウゥユゥエン

★☆☆

上海博物館／上海博物馆 シャンハイボォウグァン

南京西路／南京西路 ナンジンシイルウ

人民広場

曲阜路　地鉄12号線

地鉄10号線

蘇州河

新聞路

自然
博物館

黄河路

新世界
（マダムタッソー
蝋人形館）

南京東路　南京東路

地鉄2号線

南京
東路

外灘へ

人民
広場

上海当代
芸術館

上海城市
規劃展示館

福州路

南京西路

西蔵中路

延安東路

南京
西路

人民広場

重慶中路

上海
大劇院

上海
博物館

雲南
南路

大世界

延安中路

大世界

黄陂
南路

上海
旧城

淮海
中路

淮海中路

新天地

東台路
骨董街

地鉄8号線

地鉄1号線

新天地

地鉄10号線

老西門

0km　　　　　1km　新天地

N

★★★
南京東路／南京东路 ナンジンドンルウ
★★☆
新天地／新天地 シンティエンディイ
★☆☆
上海博物館／上海博物馆 シャンハイボウウグァン
南京西路／南京西路 ナンジンシイルウ

路地がそのまま商店街になっている

多くの人でにぎわう南京東路、レトロ建築も残る

上海博物館の内部、見応えある展示品が多い

人民広場はちょうど上海のへそにあたる

2階建てバスが周遊する

Yu Yuan
豫園城市案内

上海には宋代以来の中国伝統県城が残る
洗濯物をほすさおだけやお茶を飲む人々など
上海人のありのままの姿を見ることができる

豫園／豫园 ★★★
yù yuán
よえん／ユウゥユゥエン

　豫園は明代の1559年にこの地方出身の官吏潘允端によって造園された。楼閣、築山、池を配した江南を代表する名園で、「都市のなかの山水」とたたえられた。壁を丸く繰り抜いた洞門、さまざまな文様の透かし窓、書家による扁額など中国庭園の世界が広がっている。この豫園にいたる四角い池には九曲橋がかかり、中央に湖心亭が立つ。

豫園商城／豫园商城 ★★☆
yù yuán shāng chéng
よえんしょうじょう／ユウゥユゥエンシャンチャン

　清代の18世紀、荒廃した豫園に商人たちが商業拠点をおいたことにはじまる豫園商城。南翔饅頭店の小籠包など上海を代表する老舗が店を構え、多くの人でにぎわう。この豫園商城の近くには上海の「都市の神様」をまつった老城隍廟、明清時代の街並みが再現された上海老街も位置する。

旧上海県城

地鉄2号線
和平飯店
北楼

南京
東路

南京東路

外灘

浦東

福建
中路

河南中路

延安東路

人民路

大世界

豫園

沈香閣

豫園

老城隍廟

淮海中路

大境閣
古城壁

四民
公所

白雲観

地鉄10号線

河南南路

西蔵南路

中華路（城壁跡）

復興東路

地鉄8号線

小桃園
清真寺

上海囲城

地鉄9号線

東台路
骨董街

老西門

法蔵
講寺

上海
文廟

小南門

0km   1km

もうひとつの上海

　19世紀以降、西欧列強によって街がつくられる以前、上海には13世紀の南宋時代から続く城壁に囲まれた小さな県城がおかれていた(中央政府から役人が派遣されていた)。それはちょうど現在の豫園あたりにあり、城壁跡が楕円形状に残っている。そのため20世紀になるまで、西欧人を中心とする「租界」と、700年の伝統をもつ中国人の暮らす江南地方の「県城」という性格の異なるふたつの街が併存していた(中国では伝統的に外国人を隔離した)。1912年、城壁は撤去され、街が拡大したため、古い県城は上海の街にくみこまれている。

★★★
豫園／豫園 ユウゥユゥエン
南京東路／南京東路 ナンジンドンルウ
外灘／外灘 ワイタン
★★☆
豫園商城／豫園商城 ユウゥユゥエンシャンチャン
★☆☆
淮海中路／淮海中路 ファイハイチョンルウ

豫園商城のなかの湖心亭

Huai Hai Lu
淮海中路城市案内

イギリスによる共同租界と上海県城
両者のあいだに構えられたフランス租界
新世界や田子坊といった注目のエリアも位置する

淮海中路／淮海中路★☆☆
huái hǎi zhōng lù
わいかいちゅうろ／ファイハイチョンルウ

　淮海中路は旧フランス租界の中心を走る大通りで、現在は高級ブランド店やショッピングモールがならぶ。淮海中路一帯は、フランスによってまちづくりが進められたため、美しいプラタナス並木やフランス風のマンションなどが見られる。

新天地／新天地★★☆
xīn tiān dì
しんてんち／シンティエンディイ

　旧フランス租界に位置し、最新のファッションや雑貨店、カフェなどが集まる新天地。里弄と呼ばれる集合住宅の街区を残しながら再開発され、1920年代のオールド上海の面影も見せる。近くには1921年、毛沢東も参加した中国共産党第一次全国大会会址紀念館が残る。

里弄とは

　里弄はひとつの入口と路地を住人で共有する集合住宅（長屋）。北京の胡同にもくらべられる上海独特の建築で、19世

旧フランス租界

上海博物館
人民広場
大世界
延安東路
白雲観
黄陂南路
香港広場
中華路
上海旧城
地鉄8号線
進海中路
新天地
中共第一次全国大会紀念館
東台路骨董街
地鉄1号線
社会主義青年団紀念館
重慶南路
新天地
老西門
法蔵講寺
肇周路
西蔵南路
復興公園
新天地
孫中山故居紀念館
地鉄10号線
黄陂南路
周公館
馬当路
建国中路
地鉄13号線
西蔵南路
八号橋
地鉄9号線
田子坊
田子坊
馬当路
泰康路
徐家匯路
打浦橋
斜土路

0km　　　　　　1km

N

紀以来、急増する上海の人口にこたえるために建てられた。上海租界の行政を担当した西欧の様式と江南の伝統建築双方の要素が見られる（西欧風のレンガ建築と、中庭をもつ中国の伝統建築の要素）。6〜8棟の住人で共有する路地には、洗濯物やバケツなど生活感であふれている。

田子坊／田子坊★★☆
tián zǐ fáng
でんしぼう／ティエンツウファン

田子坊は、泰康路に面した里弄建築をリノベーションした現代アートの発信地。細い路地にはギャラリー、ショップ、レストランがならび、上海でも人気のエリアとなっている。

中国と現代アート

中国では21世紀に入ってから、現代アートが存在感を急速に増してきた。マルボロ（煙草）やコカ・コーラをアメリカに見立てたり、毛沢東や鄧小平といった政治家をアートの材料にするといった斬新な作風は世界的な評価を受け、作品の価値は21世紀初頭から10年で100倍にもなったという。

★★☆
新天地／新天地 シンティエンディイ
田子坊／田子坊 ティエンツウファン

★☆☆
淮海中路／淮海中路 ファイハイチョンルウ
上海博物館／上海博物館 シャンハイボォウグァン

里弄が改装されて現代アートと融合した田子坊

龍華寺／龙华寺 ★☆☆

lóng huá sì

りゅうかじ／ロンフゥアスー

　上海市街の南部に残る仏教寺院、龍華寺。大雄宝殿、弥勒殿、天王殿といった建物が軸線にならび、宋代以来の伽藍様式を伝える。龍華寺の前方には、3世紀、呉の孫権の時代に創建され、その後、再建された高さ41mの龍華塔がそびえる。

はじめての上海／中国へのゲートウェイ

市街南部に立つ龍華塔、八角形プランをもつ仏塔

Hong Kou
虹口城市案内

蘇州から流れて黄浦江に合流する蘇州河
その北側に広がるエリア虹口は日本租界がおかれたところで
最盛期には10万人もの日本人が暮らしたという

虹口／虹口 ★☆☆
hóng kǒu
こうこう／ホンコウ

　長さ72m、鉄骨製の外白渡橋で西欧租界と結ばれていた虹口(蘇州河に面して上海大厦や浦江飯店などのクラシックホテルが立つ)。上海の中心部から離れていたこの地には、19世紀末以来、中国人の移民や日本人が多く暮らしていた。とくに日清・日露戦争をへた1915年、日本人人口は上海の外国人のなかで1位となり、長崎と船で結ばれた虹口では日本商品であふれていたという。

魯迅公園／鲁迅公园 ★☆☆
lǔ xùn gōng yuán
ろじんこうえん／ルウシュンゴンユゥエン

　上海市街から少し離れ、虹口に暮らす中国人の憩いの場となっている魯迅公園。虹口は文豪魯迅(1881～1936年)がその生涯の最後を暮らした場所で、公園内には魯迅墓や魯迅紀念館が位置する。また魯迅公園の近くには、魯迅が許広平と暮らした魯迅故居、中国人文学者にも愛された内山完造による内山書店旧址も残る。

驚愕の上海雑技団

　多彩な技と高度なパフォーマンスで知られる中国版サーカス雑技。上海雑技団はその最高峰で、茶碗を重ねて頭に載せる「頂碗」、1台の自転車に10人もの人間が乗るパフォーマンス、机のうえで身体を曲げてポーズをとる「軟体少女」などが知られる。この上海雑技団は音や光をあわせて現代風にアレンジされた演目を見せる上海馬戯城のほか、商城劇院、雲峰劇院、白玉蘭劇場などで上演されている。

★★★
外灘／外滩 ワイタン

★☆☆
虹口／虹口 ホンコウ
魯迅公園／鲁迅公园 ルウシュンゴンユゥエン

虹口には、路地を共有する独特の集合住宅里弄も多く残る

朝、魯迅公園で憩う人々

市街西部の虹橋総合交通ターミナル、各都市への列車が運行している

城市のうつりかわり

河川がめぐる江南の水郷地帯
長江を通じて中国内陸へ続く地の利
19世紀になって上海の発展ははじまった

江南地方の県城 （13〜19世紀）

　7世紀の隋代に中国南北を結ぶ運河が開通し、12世紀、南宋の都が杭州（上海南西）に定められたことで江南は発展するようになった。上海では、1267年に鎮がおかれて街が築かれ、明代の1553年、倭寇の襲撃をふせぐための城壁が造営された。その後、倭寇の力が弱まった清代の1685年に上海に江海関（外国との貿易を管理する）がおかれたが実質、開かれず、対外貿易は南方の広州のみで行なわれていた。東アジアへ進出したイギリスは上海での通商を求めるが、清朝は応じないという状況が続いていた。

アヘン戦争と開港 （1840〜1842年）

　イギリスなど西欧諸国が求めたのは中国特産の「茶」で、18世紀に産業革命がはじまると、イギリスでは庶民のあいだでも「茶」を飲む習慣が広がっていた。茶の輸入によるイギリスの貿易赤字が拡大するなか、イギリスは植民地インドのアヘンを中国に輸出し、貿易赤字を相殺しようとした。清朝の林則徐はアヘンを厳しくとりしまったが、ジャーディン・マセソン商会などのアヘン商人の圧力からイギリスは艦隊を派遣し、1840年、アヘン戦争がはじまった。近代

兵器をもつイギリス軍に清朝はあっさりと敗れ、1842年、南京条約が結ばれて、上海などの港が開港させられることなった（このとき香港が割譲され、また清朝と同じく鎖国していた日本は1854年に開港している）。

租界の誕生 （1842年～）

　南京条約に従って、黄浦江沿いにイギリスの租界（中国の権力がおよばない治外法権）がおかれると、フランス、アメリカなども進出し、イギリスを中心とする14か国の共同租界とフランス租界が形成された。この租界には各国の領事館や商社、銀行などの支社が見られ、中国進出への足がかりとなっていた（租界の建築は西欧人が設計を担当したため、西欧式の建物が上海に現れた）。こうして租界は東アジアにおける西欧の拠点となり、電気や街灯、上下水道など産業革命をへた西欧の文明がもたらされた。

東アジアの魔都 （1920年～）

　太平天国の乱（1851～1864年）を機に多くの中国人が上海租界に流入し、上海の人口は右肩あがりに伸びていった。西欧列強が行政を担当する上海にはさまざまな人々が集まり、イギリス、フランス、アメリカ、ロシアなど各国の文化が混交し、競馬、社交界、売春、ジャズ、賭博など上海独特の文化

上海駅

アメリカ新租界

本願寺

日本
領事館

日本郵船会社埠頭

イギリス領事館

横浜正金銀行

海軍基地

イギリス租界

イギリス
新租界

南京路

工部局

三井物産

四馬路(福州路)

大阪商船会社

上海倶楽部

競馬
倶楽部

フランス領事館

競馬場
(現人民広場)

フランス租界

天主堂

城隍廟

関帝廟

耶蘇堂

耶蘇堂

南市

武廟

耶蘇堂

上海県城

文廟

『世界大百科事典』(平凡社)
掲載図をもとに作成

上海県城の城壁

関帝廟

1907年の上海

N

手の込んだ彫像、道端では雑貨もよく見かける

20世紀初頭の建物が今でも使われている

南京東路という通り名は南京条約に由来するという

がつくられていった。中国官憲の力がおよばず、どの国にも属さない上海租界ではギャング団が暗躍し、肌をあらわにした中国女性がダンスホールで踊るといった光景が見られ、東アジア最大の「魔都」と呼ばれるようになった。

中華人民共和国の誕生 (1947年〜)

　1947年、中国共産党主導による中華人民共和国が誕生すると、上海在住の資本家はイギリス植民地下の香港へ逃れていった(中国共産党は1921年に上海で結成されている)。それからしばらく中国では計画経済政策がとられていたが、1992年に南巡講話を発表した鄧小平の時代、資本主義の要素をとり入れる改革開放路線へ大きく舵が切られた。上海に外国資本を誘致する経済特区がおかれ、それまで湿地帯の広がっていた浦東に高層ビル群が林立するようになった。21世紀に入って経済一辺倒だった政策から、文化や芸術、心の豊かさなども模索されるようになり、上海には新たなスポットが次々に現れている。

『魔都上海』(劉建輝/講談社)

『現代中国文化探検』(藤井省三/岩波書店)

『中国の歴史散歩3』(山口修/山川出版社)

『中国世界遺産の旅4』(武内房司/講談社)

『上海共同租界』(NHK"ドキュメント昭和"取材班/角川書店)

『近代とは何か』(鈴木博之/東京大学出版会)

『上海路上探検』(渡辺浩平/講談社)

『世界大百科事典』(平凡社)

[PDF]上海地下鉄路線図http://machigotopub.com/pdf/shanghaimetro.pdf

[PDF]上海浦東国際空港案内http://machigotopub.com/pdf/shanghaiairport.pdf

[PDF]上海虹橋国際空港案内http://machigotopub.com/pdf/shanghaihongqiaoairport.pdf

OpenStreetMap

(C)OpenStreetMap contributors

はじめての上海／中国へのゲートウェイ

まちごとパブリッシングの旅行ガイド

Machigoto INDIA , Machigoto ASIA , Machigoto CHINA

マカオ-まちごとチャイナ

Juo-Mujin（電子書籍のみ）

自力旅游中国Tabisuru CHINA

長江デルタと上海

浦東の構成

0km   10km

浦東空港〜市街

0km   20km

N

0km 10km

虹橋広域図

上海

浦東（陸家嘴）

上南地区

0km

3km

N

上海中心部

0km   3km

N

外灘 (バンド)

N

0m   500m

南京東路

N

0m 500m

南京東路と外灘

N

0km 1km

人民広場

0km   1Km

N

旧上海県城

0km　　　　　　　　　　　　　　1km

豫園（園林区）

0km   1km

N

旧フランス租界

0km   1km

N

新天地

N

0m   500m

虹口

N

0km   2km

【車輪はつばさ】
南インドのアイラヴァテシュワラ寺院には
建築本体に車輪がついていて
寺院に乗った神さまが
人びとの想いを運ぶと言います

An amazing stone wheel of the Airavatesvara Temple
in the town of Darasuram, near Kumbakonam in the South India

まちごとチャイナ
上海 001

はじめての上海
中国へのゲートウェイ
［モノクロノートブック版］

「アジア城市（まち）案内」制作委員会
まちごとパブリッシング
http://machigotopub.com

・本書はオンデマンド印刷で作成されています。
・本書の内容に関するご意見、お問い合わせは、発行元の
　まちごとパブリッシング info@machigotopub.com までお願いします。

まちごとチャイナ
新版 上海001はじめての上海
　　～中国へのゲートウェイ

2020年 8月15日　発行

著　者	「アジア城市（まち）案内」制作委員会
発行者	赤松　耕次
発行所	まちごとパブリッシング株式会社
	〒181-0013　東京都三鷹市下連雀4-4-36
	URL http://www.machigotopub.com/
発売元	株式会社デジタルパブリッシングサービス
	〒162-0812　東京都新宿区西五軒町11-13
	清水ビル3F
印刷・製本	株式会社デジタルパブリッシングサービス
	URL http://www.d-pub.co.jp/

MP301